Álex dentro y fuera del marco

Texto

Magolo Cárdenas y Patricia Piñero

Con la colaboración de

Marla Martínez

Ilustraciones

Ixchel Estrada

Álex soñaba
con ser artista.

Pero siempre que lo había intentado,

la cosa acababa mal.

Por eso cuando la maestra anunció que tendrían un paseo artístico...

Álex saltó de gusto, pensando que, por fin, tendría un día divertido.

Pero cuando escuchó que irían al **MARCO** y la maestra pidió que imaginaran un **Museo de Arte Contemporáneo**...

Álex no supo qué pensar.

¿Arte?
¿Museo?
¿Con-tem-po-rá-neo?

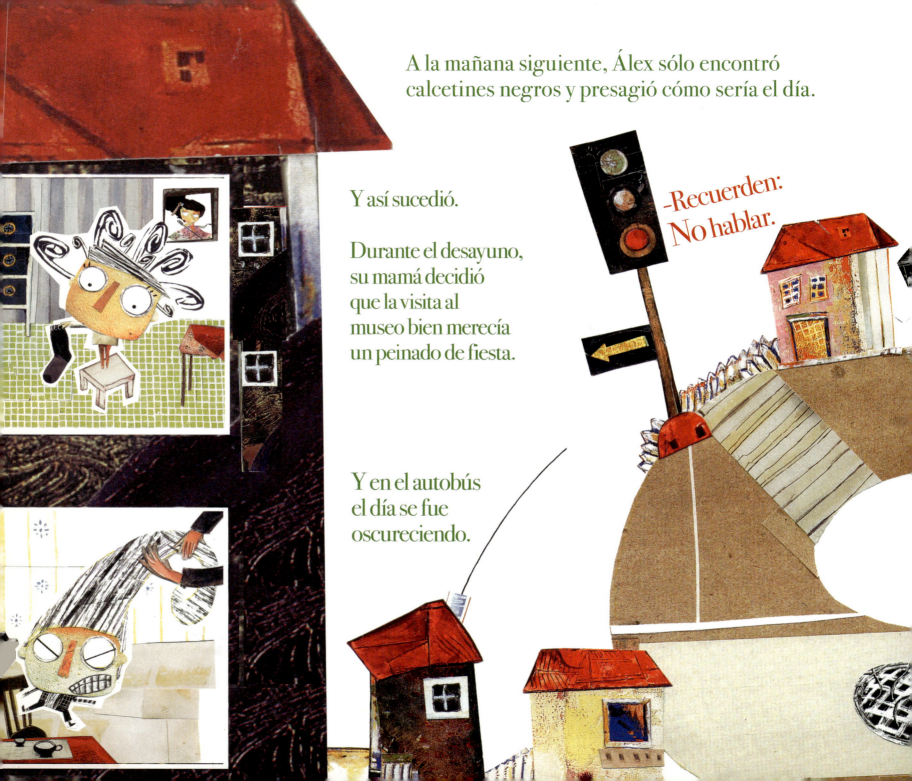

A la mañana siguiente, Álex sólo encontró
calcetines negros y presagió cómo sería el día.

Y así sucedió.

Durante el desayuno,
su mamá decidió
que la visita al
museo bien merecía
un peinado de fiesta.

Y en el autobús
el día se fue
oscureciendo.

-Recuerden:
No hablar.

—No tocar.

—Y, sobre todo, no jugar.

18-3-1938

A Álex le dieron
ganas de ir al baño.

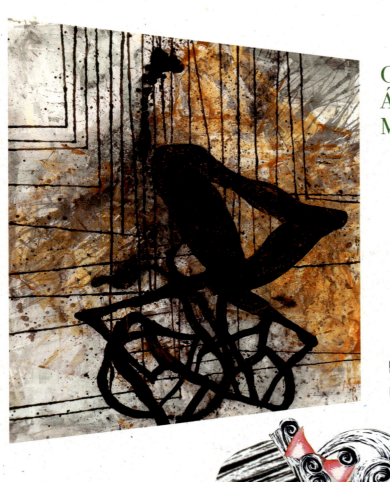

Cuando regresó del baño,
Álex se extravió buscando a su grupo.
Miraba y miraba pero no ENTENDÍA NADA.

Por ejemplo, por qué si a ella la regañaban
por salirse de los bordes cuando coloreaba,
en el Marco estaban colgados unos cuadros
que chorreaban pintura.

O por qué había en el mismo salón cuadros de personas que SÍ sabían dibujar con otros que sólo eran unos manchones.

Y mucho menos por qué, si había
obras con tantas formas y colores,

los adultos sólo se detenían a mirar los
cuadritos que nada más tenían letras.

Y era tentador
tocar las obras.

Pero Álex se acordó
de que estaba prohibido
cuando ya era
muy tarde.

-Oh, oh...

Álex se sintió
confundida.

¿Será que
en el Marco las pinturas
son un espejo?

De pronto escuchó las
voces de sus compañeros.
Y corrió a alcanzarlos.
Pero al entrar en
la otra sala…

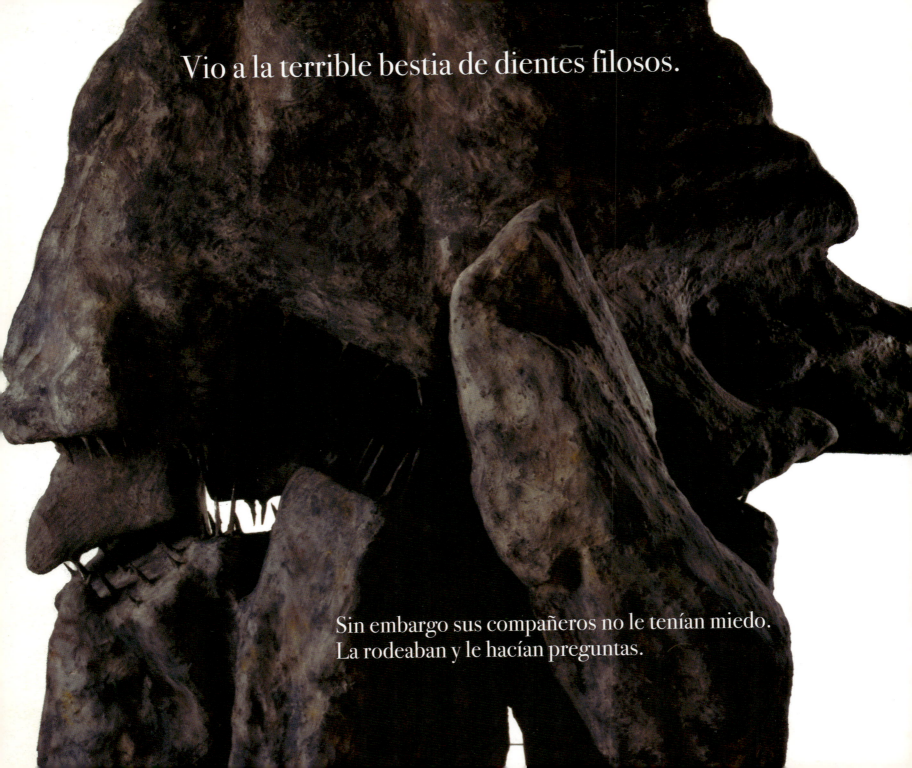

Vio a la terrible bestia de dientes filosos.

Sin embargo sus compañeros no le tenían miedo.
La rodeaban y le hacían preguntas.

Luego, la guía les pidió que redactaran un cuento que hablara de la bestia.

El resto de la mañana

cantaron,

jugaron,

y así siguieron hasta que
llegó la hora de irse.

¡Cuántas cosas pasaron desde que había entrado en el MARCO!

Así que esto es el arte contemporáneo…

No te pierdas. En el MARCO suceden cosas extraordinarias. Regresa.

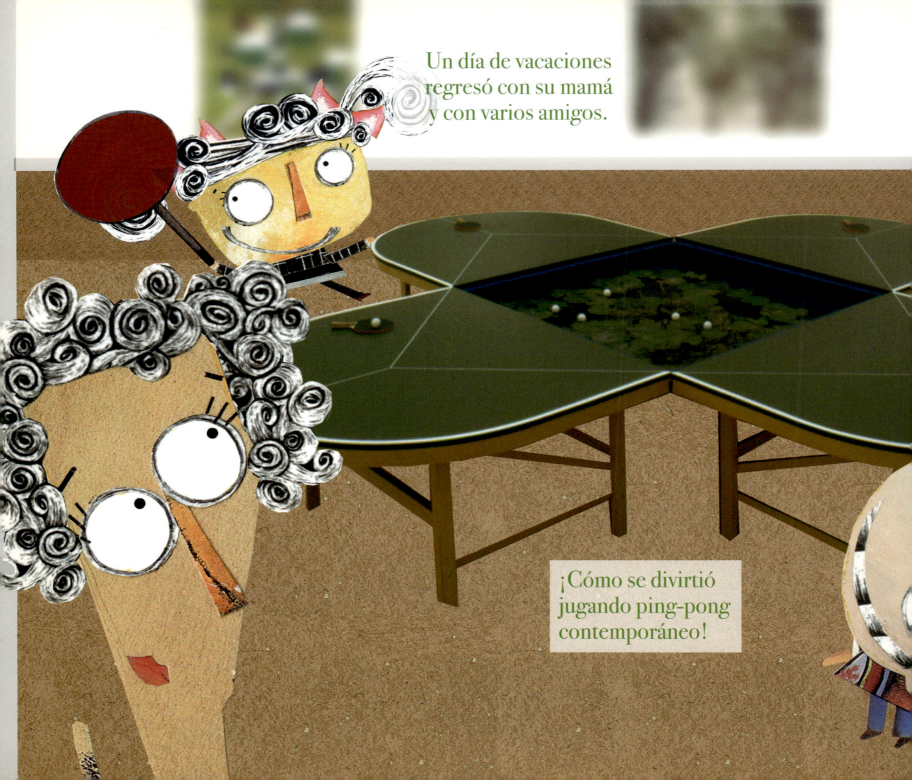

Un día de vacaciones
regresó con su mamá
y con varios amigos.

¡Cómo se divirtió
jugando ping-pong
contemporáneo!

E imaginando pedalear en una bicicleta para ir al mismo tiempo a ver a todos sus amigos.

Otra vez cuando fue al Marco se sintió
como en su casa, pero era todo tan distinto.

Guácala,
una sopita
que dura
mil años.

Y qué divertido
ver a los adultos
chiquititos

En el Marco se podía encontrar
a personas que parecían cosas.

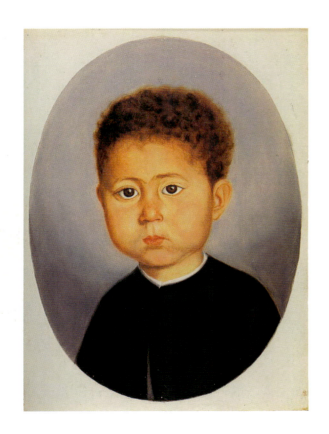

Y cosas que
parecían personas.

A veces llegaba al Marco y descubría que las formas más extrañas reflejaban exactamente lo que ella sentía.

Otras, no terminaba de entender, pero, aun así, salía con la cabeza llena de ideas. Y con ganas de pintar, bailar o hacer locuras.

Le encantaba que en el Marco
nada tenía la obligación
de conservar las formas.

¿Qué sonido
tendrán los ladridos
de un perro azul?

Siempre había algo nuevo
que ver en el Marco,
y por descubrir al
regresar a la casa.

Pues si las cosas ordinarias de la calle
se metían en el Marco, ya eran distintas.

Y cada visita era una invitación para seguir
jugando, explorando y compartiendo todo lo
que veía, y también lo invisible: ideas,
emociones y sentimientos.

Lo mejor de todo fue cuando comprendió que, a pesar de que el Marco fuera tan pero tan grande, ella siempre podía llevarse un marco en las manos. Y así seguir jugando.

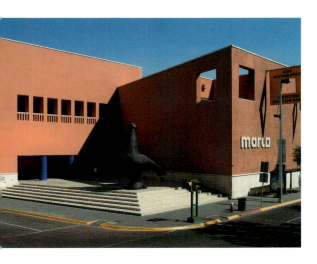

El **marco** (Museo de ARte COntemporáneo) está ubicado en el corazón de Monterrey, en el norte de México. Se inauguró en 1991 y fue diseñado como un espacio abierto a las diversas manifestaciones del arte moderno y contemporáneo; desde instalaciones, arte objeto, pintura... hasta música, literatura, cine, video y danza. Desde entonces ha presentado la obra de artistas contemporáneos de prestigio internacional, especialmente latinoamericanos.

El **marco** es sobre todo un museo dedicado a exposiciones temporales. Por eso siempre está cambiando y cada visita es sorpresiva. Es habitual que haya al mismo tiempo varias exposiciones que se van renovando aproximadamente cada tres meses. Marco es un espacio vivo y dinámico.

Fue diseñado por el arquitecto Ricardo Legorreta, quien lo proyectó buscando crear atmósferas de luz y color que convirtieran cada paseo por el museo en una experiencia única. Antes de entrar, una paloma esculpida por Juan Soriano da la bienvenida. Desde el recibidor se percibe un sonido poderoso, pero no se ve de dónde viene. La curiosidad guía al visitante hasta el patio central, donde se encuentra la fuente de la que sale un chorro de agua que marca el transcurrir del tiempo, sacudiendo del ensueño a quien lo oye, e inundando violentamente la fuente. Cuando el agua se aquieta, el silencio se oye con más fuerza, y el visitante es invitado a las diferentes exposiciones.

En el **marco** se busca renovar la capacidad de sorpresa y de juego, dentro y fuera de él.

www.marco.org.mx

Juan Soriano
La Paloma, 1990
bronce
6 m de altura y
4 tons. de peso
Colección MARCO

Alberto Castro Leñero
Forma, 2003
acrílico sobre tela
200 × 175 cm
Colección particular

Rafael Cauduro
Calle de los Medallones, 1991
acrílico en tela sobre madera
122,5 × 300 cm
Colección Júmex, México

Alberto Castro Leñero
Estructura orgánica, 2003
acrílico sobre tela
200 × 300 cm
Colección particular

José Villalobos
El mar cautivo, 1994
técnica mixta sobre tela
díptico: 160 × 260 cm
Colección MARCO

Antonio Lazo
Canaima, 1994
carboncillo y acrílico sobre tela
políptico: 207 × 484 × 55 cm
Colección MARCO

Georgina Quintana
Génesis, 1994
óleo sobre madera
122 × 160 cm
Colección MARCO

Kenny Scharf
Junglarama, 1992
acrílico, óleo y tinta de serigrafía sobre
tela con marco de aluminio y pasto
243 × 298 cm
Colección MARCO

Abraham Cruzvillegas
Las guerras floridas III, 2003
60 hojas de maguey sobre muro
medidas variables
Cortesía Galería Kurimanzutto

Daniel Lezama
Estudiante disfrazada, 2001
óleo sobre tela
190 × 140 cm
Colección Alfonso
Castañeda Chellet

Julio Galán
Conejo con huevo negro, 1991
pastel y collage sobre papel
100 × 70 cm
Colección del artista

Gerardo Azcúnaga
La bestia en dos, 1994
poliestireno expandido y concreto
245 × 215 × 130 cm
Colección MARCO

Miriam Medrez
La daga, 1994
escultura en cerámica con
soporte de hierro
226 × 85,1 × 66 cm
Colección MARCO

Rodolfo Morales
El vuelo de las novias, 1994
óleo sobre lino
149 × 201 cm
Colección MARCO

Rufino Tamayo
Comedor de sandia, 1949
óleo sobre tela
99,77 × 80 cm
Colección particular

Gabriel Orozco
Ping-pong table with reservoir, 1998
mesa de ping-pong modificada con
agua y lirios acuáticos
76,2 × 424,1 3/4 × 424 3/4 cm
Cortesía Marian Goodman Gallery,
New York

Robert Therrien
Sin título (platos de plástico
azul), 1999.
plástico
238,76 × 152,4 × 152,4 cm
Colección Los Angeles County

Robert Therrien
Under the table, 1994
madera, metal y esmalte
297,1 × 792,4 × 548,6 cm
Cortesía The Broad Art Foundation,
Santa Mónica
Douglas M. Parker Studio,
Los Angeles, CA.

Hermenegildo Bustos
Niña María Morillo, 1879
óleo sobre tela
46,3 × 36,5 cm
Museo Nacional de Arte, INBA

Hermenegildo Bustos
Niño Pablo Aranda, 1887
óleo sobre lámina
18 × 13 cm
Museo Nacional de Arte, INBA

Joan Brossa
Colombina, 1969
técnica mixta
5 × 8 × 5 cm
Fundación privada Joan Brossa

Joan Brossa
Charles, 1997
serigrafía sobre collage
70 × 100 cm
Fundación privada Joan Brossa

Allen Jones
Fascinating Rhythm, 1982
madera pintada
205,5 × 98 cm
Colección MARCO

Ray Smith
Edison Burros, 1989
óleo sobre madera
213 × 366 cm
Colección del artista

Rodolfo Nieto
Vida de Perro, 1976
óleo sobre tela
88 × 114 cm
Colección particular

Rodolfo Nieto
Perro Azul, 1976
óleo sobre tela
70 × 80 cm
Colección particular

Rodolfo Nieto
Gato, (falta fecha)
óleo sobre tela
60 × 90 cm
Colección particular